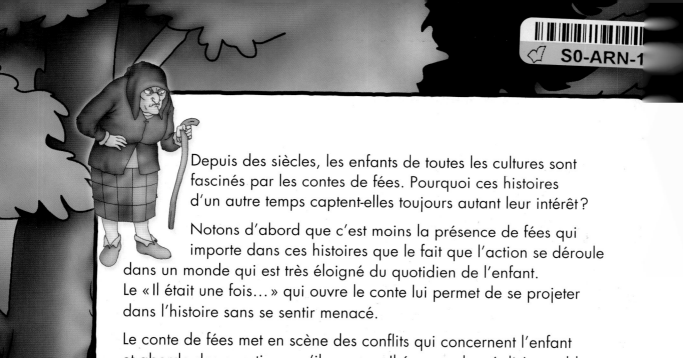

Depuis des siècles, les enfants de toutes les cultures sont fascinés par les contes de fées. Pourquoi ces histoires d'un autre temps captent-elles toujours autant leur intérêt?

Notons d'abord que c'est moins la présence de fées qui importe dans ces histoires que le fait que l'action se déroule dans un monde qui est très éloigné du quotidien de l'enfant. Le «Il était une fois…» qui ouvre le conte lui permet de se projeter dans l'histoire sans se sentir menacé.

Le conte de fées met en scène des conflits qui concernent l'enfant et aborde des questions qu'il se pose. Il évoque des réalités troublantes mais incontournables, comme l'ambivalence des sentiments, la rivalité, la sexualité, la mort, la crainte de l'avenir… Sa fin, généralement heureuse, propose une solution sans verser dans le moralisme comme les fables.

L'aspect le plus important du conte, c'est sa dimension magique. Le personnage principal du conte de fées est la magie du langage. L'enfant y rencontre la puissance créatrice des mots. Avec les mots, l'enfant joue, explore le monde et parvient à apaiser des tensions qui le troublent. Grâce à la magie du langage, une bête répugnante peut se transformer en beau jeune homme, un adulte peut séjourner durant des siècles dans un vase, trois petits cochons peuvent représenter trois sentiments qui animent un enfant… Ces pirouettes du langage ne servent pas qu'à rendre le conte attrayant, elles indiquent à l'enfant que les mots ont le pouvoir d'évoquer ce qu'il conçoit parfois difficilement. Il n'est pas facile pour le jeune enfant d'imaginer par exemple qu'il puisse haïr une personne qu'il aime. Cette réalité peut cependant devenir plus accessible pour lui lorsqu'une grand-mère aimante se transforme en loup capable de dévorer une petite fille.

Les aventures irréelles des contes de fées illustrent des vérités bien réelles que peut vivre l'enfant. Elles lui offrent un moyen d'affronter ces réalités en mettant son imagination à contribution. Voilà pourquoi les contes demeurent toujours aussi actuels.

Martin Pigeon, psychanalyste

Caillou

Hansel et Gretel

Conte traditionnel
Illustrations : Pierre Brignaud • Coloration : Marcel Depratto

chouette

–C'est l'heure du dodo, Caillou et Mousseline. Venez mettre vos pyjamas et vous brosser les dents. Ensuite, je vous raconterai une histoire, dit mamie.

Caillou et Mousseline ne perdent pas une minute. Ils adorent quand mamie s'assoit avec eux pour leur lire une histoire.

« À l'orée d'une grande forêt vivaient un pauvre bûcheron, ses deux enfants et leur belle-mère. Le garçon s'appelait Hansel et la fille, Gretel. La famille ne mangeait guère. Une année que la famine régnait dans le pays, le pain lui-même vint à manquer.

Une nuit, le bûcheron dit à sa femme :
—Qu'allons-nous devenir ?
—Dès l'aube, nous conduirons les enfants au plus profond de la forêt. Puis nous irons à notre travail et les laisserons seuls. Ils ne retrouveront plus leur chemin et nous en serons débarrassés.
—Non, femme, dit le bûcheron. Je ne ferai pas cela ! Les bêtes sauvages ne tarderaient pas à les dévorer.
—Tu préfères donc que nous mourions de faim tous les quatre ? Elle n'eut de cesse qu'il n'acceptât ce qu'elle proposait.

Les deux petits n'avaient pas pu s'endormir tant ils avaient faim.
Ils avaient entendu ce que la marâtre disait à leur père.
Gretel pleura.
—Ne t'en fais pas, Gretel. Je trouverai un moyen de nous tirer de là,
la rassura Hansel.

Il se leva et se glissa dehors. La lune brillait dans le ciel et les graviers blancs, devant la maison, étincelaient comme des diamants. Hansel en remplit ses poches, puis il rentra dans la maison et dit à Gretel :
— Aie confiance, petite sœur, et dors tranquille.

Quand vint le jour, la femme réveilla les deux enfants :
—Debout, paresseux ! Nous allons dans la forêt chercher du bois.
Elle leur donna un morceau de pain et ils se mirent tous en route.

Au bout de quelque temps, Hansel s'arrêta et regarda en direction de la maison.

–Que regardes-tu, Hansel, et pourquoi restes-tu en arrière? interrogea le père.

–Je regarde mon petit chat blanc sur le toit, dit Hansel.

–Ce n'est pas le chaton, dit la femme. C'est un reflet de soleil sur la cheminée.

En réalité, à chaque arrêt, Hansel prenait un caillou blanc dans sa poche et le laissait tomber sur le chemin.

Quand ils furent arrivés au milieu de la forêt, le père prépara un grand feu.

—Nous allons abattre du bois, dit la marâtre. Quand nous aurons fini, nous reviendrons vous chercher.

Hansel et Gretel s'assirent près du feu et mangèrent leur morceau de pain. Ils entendaient des coups de hache et pensaient que leur père était tout proche. Mais c'était une branche que le bûcheron avait attachée à un arbre mort et qui battait au vent.

Ils patientèrent ainsi des heures et finirent par s'endormir.

Quand ils se réveillèrent, il faisait nuit noire.

Gretel se mit à pleurer.

—Comment ferons-nous pour sortir de la forêt?

—Dès que la lune sera levée, nous retrouverons notre chemin,
dit Hansel.

Quand la lune brilla dans le ciel, il prit sa sœur par la main
et suivit les petits cailloux blancs qui étincelaient dans la pénombre.

Les enfants marchèrent toute la nuit jusqu'à la maison paternelle.

Leur belle-mère les accueillit en criant:

—Méchants enfants! Pourquoi avez-vous dormi si longtemps?
Nous pensions que vous ne reviendriez jamais.

Leur père, lui, se réjouit, car il avait le cœur lourd de les avoir
laissés dans la forêt.

Peu de temps après, la misère régna de plus belle. Une nuit, la marâtre dit à son mari :

—Il ne reste plus rien à manger ! Il faut nous débarrasser des enfants. Nous les conduirons encore plus profond dans la forêt pour qu'ils ne puissent plus retrouver leur chemin.

Le père avait bien du chagrin, mais, comme il avait accepté une première fois, il dut consentir encore une fois.

Les enfants avaient tout entendu. Quand les parents furent plongés dans le sommeil, Hansel se leva pour aller ramasser des cailloux. Mais la marâtre avait verrouillé la porte et le garçon ne put sortir.
—Ne pleure pas, Gretel, nous trouverons une solution.

Tôt le matin, la marâtre fit lever les enfants. Elle donna à chacun un tout petit morceau de pain.

Sur la route de la forêt, Hansel s'arrêtait souvent pour en jeter un peu sur le sol.

—Hansel, qu'as-tu à t'arrêter et à regarder autour de toi? dit le père.

—Je regarde ma petite colombe sur le toit! répondit Hansel.

—Ce n'est pas une colombe, dit la marâtre. C'est le soleil qui joue sur la cheminée.

Hansel, cependant, continuait à semer des miettes de pain le long du chemin.

La marâtre conduisit les enfants plus loin dans la forêt.

—Restez là, dit la femme. Quand nous aurons fini, nous viendrons vous chercher.

À midi, Gretel partagea son pain avec Hansel, qui avait éparpillé le sien le long du chemin.

Puis la soirée passa sans que personne ne revint. Les enfants
s'éveillèrent au milieu de la nuit, et Hansel consola sa sœur :
—Attends que la lune se lève, Gretel. Les miettes de pain que
j'ai jetées nous indiqueront le chemin de la maison.
Quand la lune se leva, ils se mirent en route. Mais de miettes, point.
Les mille oiseaux des champs et des bois les avaient mangées.

Les enfants marchèrent toute la nuit et le jour suivant, sans trouver comment sortir de la forêt. N'ayant rien à se mettre sous la dent, ils mouraient de faim. Ils s'enfonçaient toujours plus dans la forêt. Soudain, ils aperçurent au loin une petite maison. Quand ils en furent tout près, ils virent qu'elle était faite en pain d'épice et recouverte de gâteaux, avec des fenêtres en sucre.
Hansel arracha un petit morceau de toit pour y goûter. Gretel se mit à lécher les carreaux.

Tout à coup, la porte s'ouvrit et une très vieille femme sortit de la maison. Hansel et Gretel eurent si peur qu'ils cessèrent aussitôt de manger.

—Eh! chers enfants, n'ayez crainte, les rassura la vieille.

Elle les prit par la main et les fit entrer dans la maisonnette. Elle leur servit du lait et des beignets, des pommes et des noix. Elle prépara ensuite deux petits lits. Les enfants croyaient rêver.

En réalité, la vieille femme était une méchante sorcière à l'affût des enfants. Elle avait construit la maison de pain d'épice pour les attirer. Quand elle en prenait un, elle le faisait cuire et le mangeait.

À l'aube, elle attrapa Hansel, le conduisit dans une petite étable et l'enferma. La sorcière s'approcha ensuite de Gretel et la secoua pour la réveiller :

—Debout, paresseuse ! Va chercher de l'eau et prépare quelque chose à manger pour ton frère. Il est enfermé dans l'étable et il faut qu'il engraisse. Quand il sera à point, je le mangerai !

Gretel se mit à pleurer, mais cela ne lui servit à rien. Elle fut obligée de faire ce que lui demandait l'ogresse.

Tous les matins, la vieille se glissait jusqu'à l'étable et disait :
—Hansel, tends tes doigts, que je voie si tu es déjà assez gras.
Mais Hansel tendait un petit os et la sorcière, qui avait de mauvais yeux, ne s'en rendait pas compte. Elle croyait que c'était vraiment le doigt de Hansel et s'étonnait qu'il n'engraissât point.

Quand quatre semaines furent passées, voyant que l'enfant était toujours aussi maigre, la sorcière perdit patience et décida de ne pas attendre davantage.

–Que Hansel soit gras ou maigre, c'est demain que je le tuerai et le mangerai, déclara-t-elle.

Le lendemain, Gretel fut chargée de remplir la marmite d'eau et d'allumer le feu.

—Nous allons d'abord faire la pâte, dit la sorcière.

Et elle poussa la pauvre Gretel vers le four.

—Faufile-toi dedans! ordonna-t-elle, et vois s'il est assez chaud pour la cuisson.

Elle avait l'intention de fermer la porte du four quand la petite y serait. Mais Gretel devina son projet et dit:

—Je ne sais que faire. Comment entre-t-on dans ce four?

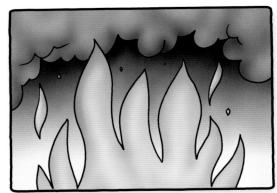

—Petite oie, dit la sorcière, l'ouverture est assez grande. Vois,
je pourrais y entrer moi-même.
Et elle y passa la tête. Alors Gretel la poussa vivement dans le four,
claqua la porte et mit le verrou. La sorcière se mit à hurler. Mais
Gretel la laissa rôtir.

Gretel courut jusqu'à Hansel. Elle ouvrit la porte de l'étable et dit :
—Nous sommes libres ! La vieille sorcière est morte !
Hansel bondit hors de sa prison. Comme ils étaient heureux !

N'ayant plus rien à craindre, ils retournèrent dans la maison. Dans tous les coins, il y avait des caisses remplies de perles et de diamants.

—C'est encore mieux que mes petits cailloux! dit Hansel en remplissant ses poches.

Gretel aussi en mit tant qu'elle put dans son tablier.

—Maintenant, dit Hansel, il nous faut partir si nous voulons fuir cette forêt ensorcelée.

Au bout de quelques heures, la forêt leur devint de plus en plus familière. Soudain, ils virent au loin la maison de leur père. Ils se mirent à courir, se ruèrent dans la chambre des parents et sautèrent au cou de leur père. L'homme n'avait plus eu une seule minute de bonheur depuis qu'il avait abandonné ses enfants dans la forêt. Sa vilaine femme était morte. Gretel secoua son tablier et les perles et les diamants roulèrent à travers la chambre. Hansel en sortit d'autres de ses poches, par poignées. C'en était fini des soucis ! Ils vécurent heureux tous ensemble. »

Texte : Conte traditionnel
Consultant : Martin Pigeon, psychanalyste
Illustrations : Pierre Brignaud
Coloration : Marcel Depratto
Direction artistique : Monique Dupras

Nous reconnaissons l'aide financière du gouvernement du Canada par l'entremise
du Fonds du livre du Canada pour nos activités d'édition.

Patrimoine   Canadian
canadien   Heritage

Nous remercions le ministère de la Culture et des Communications du Québec
et la SODEC de l'aide apportée à la publication et à la promotion de cet ouvrage.

SODEC
Québec

Catalogage avant publication de Bibliothèque et Archives nationales
du Québec et Bibliothèque et Archives Canada

Brignaud, Pierre
Caillou : Hansel et Gretel
(L'heure du conte)
Pour enfants de 3 ans et plus.

ISBN 978-2-89450-857-2

I. Titre. II. Titre: Hansel et Gretel. III. Titre: Hansel et Gretel. Français.

PS8589.I64C343 2012   jC843'.6   C2011-941821-5
PS9589.I64C343 2012

Imprimé à Guangdong, Chine
10 9 8 7 6 5 4 3 2 1   CHO1813 DEC2011